KÖNIGSFURT
URANIA

Das
Traum
Tagebuch

Nur was wir träumen, sind wir wirklich,
denn alles übrige gehört, weil es verwirklicht ist,
der Welt und allen Menschen. [Fernando Pessoa]

Impressum

Originalausgabe
Krummwisch bei Kiel 2011
© 2011 by Königsfurt-Urania Verlag GmbH
D-24796 Krummwisch
www.koenigsfurt-urania.com

»Leitfaden zur Traumdeutung – Der 10-Punkte-Plan«;
Text und Idee: Sabine Lechleuthner

Umschlaggestaltung: Jessica Quistorff unter Verwendung
des folgenden Motives von Fotolia:
»*Above the Clouds Heavenly Lunar Sky*« © Dan Collier

Satz und Layout: Jessica Quistorff
Schmuckelemente: Hermann Betken unter Verwendung des
folgenden Motives von Fotolia: »*beauty frame*« © aalto
Weitere Abbildungen siehe Bildquellennachweis S.160

Druck und Bindung: Finidr s.r.o.
Printed in EU

ISBN 978-3-86826-722-8 (Set: Buch und Traumtagebuch)

Leitfaden zur Traumdeutung – Der 10-Punkte-Plan

Notieren Sie den Traum nach dem Aufwachen und fügen Sie Datum und Uhrzeit hinzu.
Für die Traumdeutung ist es wichtig, sich dem Inhalt des Traumes durch folgende Fragen zu nähern.

1. Wie war das Aufwachgefühl? Gut, schlecht, traurig, glücklich …? Passt das Gefühl zum Inhalt des Traumes?

2. Gibt es einen Tagesrest? Was ereignete sich gestern oder vor ein paar Tagen? Steht das in Zusammenhang mit dem Inhalt des Traumes?

3. Was macht das Traum-Ich auf dem Hintergrund von Ort und Zeit? Ist man distanzierter Beobachter oder Teil des Geschehens? Wo findet das Ganze statt und zu welcher Zeit?

4. Kennt man die Gefühle oder Reaktionen im Traum? Oder macht man (oder jemand) etwas, was einem normalerweise fremd ist?

5. Was für Symbole tauchen auf und was fällt einem dazu ein? (Assoziieren). Sollte es sich z.B. um eine Zahl x handeln, fragt man: Was war vor x-Jahren? oder: Was war, als ich x-Jahre alt war?

6. Wie ist die Traumsprache? Erkennt man Redewendungen? – Der Traum offenbart sich in Bildern. Z.B. „Das Wasser reicht mir bis zum Hals." Oder: Gibt es Wörter, deren Sinn sich verändert, wenn Sie einen Buchstaben austauschen? Nacht – Macht. Oder sprechende Namen: Im Wort Hel-mut steckt das Wort Mut. Seien Sie kreativ, spielen Sie mit Wörtern und Sätzen.

7. Gibt es Abweichungen im Traum von der Norm? Was ist zu viel, was fehlt? Z.B. Frauen, aber keine Männer, Mutter und Kind, aber kein Vater …

8. Erkennt man im Traum alte Muster? Reaktionen?

9. Wie ist die momentane Lebenssituation? Gibt es Ereignisse, Veränderungen usw., die einen besonders beschäftigen? Kann man einen Bezug zum Trauminhalt herstellen?

10. Was will einem der Traum letztlich sagen? Was für Lösungen bietet er an?

Nehmen Sie sich Zeit und Ruhe für die Antworten und deuten Sie anschließend daraus den Traum.

Wenn wir alle Nächte von dem gleichen Ereignis träumten, so würde es uns ebensosehr beeinflussen, wie die Dinge, die wir alle Tage sehen.

[Blaise Pascal]

Warum sieht das Auge etwas deutlicher im Traum als der Geist, wenn er wach ist?

[Leonardo da Vinci]

47

Ich bin daran gewöhnt zu schlafen
Und in meinen Träumen
Dieselben Dinge zu sehen,
Die Wahnsinnige sehen, wenn sie wach sind.

[René Descartes]

Träume sind mächtiger als Tatsachen

[Robert Fulghum]

Was ist Leben? Raserei!
Was ist Leben? Hohler Schaum,
Ein Gedicht, ein Schatten kaum!
Wenig kann das Glück uns geben;
Denn ein Traum ist alles Leben
Und die Träume selbst ein Traum.

[Calderón de la Barca]

98

98

*Ein ungedeuteter Traum gleicht
einem ungelesenen Brief*

[Talmud]

Träume bieten sich allen dar. Sie sind
Orakel, stets bereit uns als stille und unfehlbare
Berater zu dienen.

[Synesios von Kyrene]

Quellenangaben

Zitatquellen

Seite 5 »Nur was wir träumen ...« [Fernando Pessoa] aus *Das Buch der Unruhe*, 3. Aufl. Frankfurt/M: Fischer, 2008, S. 335

Seite 9 »Wenn wir alle Nächte ...« [Blaise Pascal] aus *Gedanken*, 1. Aufl. Köln: Anaconda, 2007, S. 325

Seite 33 »Warum sieht das Auge ...« [Leonardo da Vinci] aus Malcom Godwin, *Der Traum*, Knesebeck Verlag, München, 1995

Seite 55 »Ich bin daran gewöhnt ...« [René Descartes] aus Malcom Godwin, *Der Traum*, Knesebeck Verlag, München, 1995

Seite 73 »Träume sind mächtiger ...« [Robert Fulghum] aus Carlo Zumstein: *Der schamanische Weg des Träumens*, Heinrich Hugendubel Verlag (Ariston), München 2003

Seite 95 »Was ist Leben? Raserei! ...« [Calderón de la Barca] *Das Leben ein Traum* (1636)

Seite 117 »Ein ungedeuteter Traum ...« [Talmud, Berachod 55] aus Carlo Zumstein: *Der schamanische Weg des Träumens*, Heinrich Hugendubel Verlag (Ariston), München 2003

Seite 139 »Träume bieten sich allen dar ... » [Synesios von Kyrene] *Über die Träume* (ca. 400 n. Chr.) aus Dianne Skafte, *Die Rückkehr der Orakel*, Knaur Verlag, München 1998, S. 133

Bildquellen

Hintergrundmotiv der farbigen Seiten: *Above the Clouds Heavenly Lunar Sky* © Dan Collier

S.4 Fotolia, *waxing crescent upon the ocean* © Alessia

S.8 Fotolia, *Key in the keyhole* © stoupa

S.10 Fotolia, *close-up of a beautiful ocean wave* © Eric Gevaert, *Above the Clouds Heavenly Lunar Sky* © Dan Collier, *waxing crescent upon the ocean* © Alessia,